ENJOY ARITHMETIC!

John and Patricia Moore

PRACTICE EXAMPLES
BASIC ADDITION

Book One

First published in Great Britain by
Hawthorns Publications Limited,
Pond View House, Otford, Kent.

© Hawthorns Publications Limited 1988
Reprinted 1990, 1991, 1992, 1993, 1994

ISBN 1 871044 15 4

Printed in Great Britain by
Longmore Press Limited,
Park Lane, Otford, Sevenoaks,
Kent TN14 5PG.

FOREWORD

This is not a teaching scheme, but sets of exercises for the use of Primary School pupils, and pupils in Secondary Schools in need of revision in basic Arithmetic.

No attempt has been made to suggest methods for working. There is often more than one perfectly legitimate way of obtaining the correct answer. We do not believe that slower pupils should be confused by being confronted with a different method from the one used by their teacher. Very carefully graded material is used, with correct development of steps, introducing one difficulty at a time.

In the early material on Addition and Subtraction great emphasis has been placed on the number bond 10 $(1 + 9 = 10, 2 + 8 = 10,$ etc). This is included in almost every example.

In Subtraction, some children find it extremely difficult to subtract from 0. This may be laziness, but frequently they have had little grounding in "making up to 10". They need, therefore, much practice to cope with this particular difficulty. For this reason, we do not apologise for repetition in basic processes.

In the books dealing with Multiplication and Division digits have been repeated many times to reinforce learning the table. The table square is included inside the Multiplication front cover. It is always available for reference, if needed.

In Division by divisors up to 12 care has been taken to use the simplest carrying figures in the early stages, gradually increasing in difficulty by very easy steps. Long division has been included, although it is not now popular with many teachers, or included in many schemes. This, in our experience, can be taught with greater ease if the units digit is 1 in the divisor. It is easier to divide by 91 than by 19. The first stage, therefore, is division by 21, 31, 41, etc, and then increasing the units digit by easy stages to 22, 32, 42, etc, and 23, 33, 43, etc. It is also valuable to have the multiplication table of the divisor written out, and this we have asked the pupils to do. In our opinion, long division is worthy of more attention, as it gives practice in subtraction and multiplication, as well as division.

We have used large type, and would recommend that the examples be copied carefully by the pupils, preferably using squared books, so that —

    a) the digits are spaced out adequately, and

    b) the columns are quite distinct and straight.

Children who are not given prepared columns to work with initially are inclined to ignore the fact that columns are required, and squash all the numbers together.

How the book is used is left entirely to the discretion of the teacher, who knows the needs of particular individuals. Even in a small Remedial Unit there will be pupils of varying abilities, with very different weaknesses. Backward pupils need to have evidence of progress, even if it is slow. The work has to be arranged so that the end of an exercise is always in sight, and attainable.

In examples involving problems, the language used has been kept very simple, so that difficulties with reading will not hamper arithmetical attainment.

We hope that the very carefully graded exercises in these books will be to the mutual advantage of teachers and their pupils in the quest for high standards of numeracy.

John and Patricia Moore

CONTENTS

Exercises A.1-2
    Addition of two or three single numbers. Number bond appears in all examples.
Exercises A.3-4
    As in exercises 1 and 2, but with 1 in the 10's column.
Exercises A.5-10
    As in exercises 3 and 4, but with four numbers to be added.
Exercises A.11-16
    Gradually introducing higher numbers in the 10's column, and a carrying figure from 10's to 100's.
Exercises A.17-18
    Addition of six 2-digit numbers.
Exercises A.19-20
    Addition of six 3-digit numbers. 1 only in the 100's column.
Exercises A.21-23
    As in exercises A.19-20, but with higher numbers in the 100's column.
Exercises A.24-25
    Practice in correct setting out addition of 1, 2 and 3-digit numbers. (Most of the examples in A.1-25 have the number bond visible, at least in the units column.)
Exercises A.26-29
    Addition of four, 4-digit numbers.
Exercises A.30-33
    As in exercises 24 and 25, but including 4-digit numbers.
Exercises A.34-38
    Addition given horizontally, to be written out correctly and worked vertically.
Exercises A.39-44
    Very simple problems.
Exercises A.45-48
    Cross-number puzzles.

EXERCISE A1

1. 3
   + 7
   ____

2. 5
   + 5
   ____

3. 4
   + 6
   ____

4. 2
   + 8
   ____

5. 1
   + 9
   ____

6. 1
    3
   + 7
   ____

7. 2
    5
   + 5
   ____

8. 1
    2
   + 8
   ____

9. 2
    1
   + 9
   ____

10. 1
     4
    + 6
    ____

11. 2
     3
    + 7
    ____

12. 1
     1
    + 9
    ____

13. 2
     4
    + 6
    ____

14. 1
     5
    + 5
    ____

15. 2
     2
    + 8
    ____

16. 4
     2
    + 8
    ____

17. 3
     1
    + 9
    ____

18. 4
     4
    + 6
    ____

19. 3
     5
    + 5
    ____

20. 4
     3
    + 7
    ____

21. 3
     4
    + 6
    ____

22. 4
     5
    + 5
    ____

23. 3
     3
    + 7
    ____

24. 4
     1
    + 9
    ____

25. 3
     2
    + 8
    ____

EXERCISE A2

1.   6
      2
   + 8
	2. 5
	      1
	   + 9
		3. 6
		      5
		   + 5
			4. 5
			      4
			   + 6
				5. 6
				      1
				   + 9

6.   5
      3
   + 7
	7. 6
	      4
	   + 6
		8. 5
		      5
		   + 5
			9. 6
			      3
			   + 7
				10. 5
				      2
				   + 8

11.   8
      1
   + 9
	12. 8
	      5
	   + 5
		13. 7
		      4
		   + 6
			14. 7
			      3
			   + 7
				15. 8
				      2
				   + 8

16.   9
      5
   + 5
	17. 8
	      3
	   + 7
		18. 7
		      2
		   + 8
			19. 8
			      4
			   + 6
				20. 9
				      1
				   + 9

21.   7
      1
   + 9
	22. 9
	      4
	   + 6
		23. 9
		      2
		   + 8
			24. 7
			      5
			   + 5
				25. 9
				      3
				   + 7

EXERCISE A3

1. 13
    + 17
    _____

2. 15
    + 15
    _____

3. 14
    + 16
    _____

4. 12
    + 18
    _____

5. 11
    + 19
    _____

6. 11
    14
    + 16
    _____

7. 13
    11
    + 19
    _____

8. 12
    14
    + 16
    _____

9. 11
    11
    + 19
    _____

10. 12
    15
    + 15
    _____

11. 13
    12
    + 18
    _____

12. 13
    13
    + 17
    _____

13. 12
    11
    + 19
    _____

14. 11
    12
    + 18
    _____

15. 13
    14
    + 16
    _____

16. 13
    15
    + 15
    _____

17. 12
    12
    + 18
    _____

18. 11
    13
    + 17
    _____

19. 12
    13
    + 17
    _____

20. 11
    15
    + 15
    _____

21. 16
    11
    + 19
    _____

22. 14
    12
    + 18
    _____

23. 15
    13
    + 17
    _____

24. 14
    14
    + 16
    _____

25. 15
    15
    + 15
    _____

EXERCISE A4

1. 14
    15
    + 15
    ____

2. 15
    11
    + 19
    ____

3. 16
    14
    + 16
    ____

4. 16
    13
    + 17
    ____

5. 15
    14
    + 16
    ____

6. 14
    11
    + 19
    ____

7. 15
    12
    + 18
    ____

8. 16
    15
    + 15
    ____

9. 14
    13
    + 17
    ____

10. 16
    12
    + 18
    ____

11. 18
    14
    + 16
    ____

12. 19
    11
    + 19
    ____

13. 17
    12
    + 18
    ____

14. 18
    15
    + 15
    ____

15. 19
    13
    + 17
    ____

16. 17
    15
    + 15
    ____

17. 18
    12
    + 18
    ____

18. 19
    14
    + 16
    ____

19. 18
    11
    + 19
    ____

20. 19
    12
    + 18
    ____

21. 17
    13
    + 17
    ____

22. 17
    11
    + 19
    ____

23. 19
    15
    + 15
    ____

24. 18
    13
    + 17
    ____

25. 17
    14
    + 16
    ____

EXERCISE A5

1.
```
  1 1
  1 3
+ 1 7
─────
```

2.
```
  1 1
  1 5
+ 1 5
─────
```

3.
```
  1 1
  1 4
+ 1 6
─────
```

4.
```
  1 1
  1 2
+ 1 8
─────
```

5.
```
  1 1
  1 1
+ 1 9
─────
```

6.
```
  1 1
  1 1
  1 3
+ 1 7
─────
```

7.
```
  1 1
  1 2
  1 2
+ 1 8
─────
```

8.
```
  1 1
  1 3
  1 1
+ 1 9
─────
```

9.
```
  1 1
  1 1
  1 4
+ 1 6
─────
```

10.
```
  1 1
  1 2
  1 5
+ 1 5
─────
```

11.
```
  1 1
  1 3
  1 2
+ 1 8
─────
```

12.
```
  1 1
  1 1
  1 1
+ 1 9
─────
```

13.
```
  1 1
  1 3
  1 5
+ 1 5
─────
```

14.
```
  1 1
  1 3
  1 3
+ 1 7
─────
```

15.
```
  1 1
  1 2
  1 1
+ 1 9
─────
```

16.
```
  1 1
  1 3
  1 4
+ 1 6
─────
```

17.
```
  1 1
  1 1
  1 2
+ 1 8
─────
```

18.
```
  1 1
  1 2
  1 3
+ 1 7
─────
```

19.
```
  1 1
  1 2
  1 4
+ 1 6
─────
```

20.
```
  1 1
  1 1
  1 5
+ 1 5
─────
```

EXERCISE A6

1.	1 1	2.	1 1	3.	1 1	4.	1 1	5.	1 1
	1 5		1 4		1 5		1 4		1 5
	1 1		1 1		1 5		1 4		1 3
	+ 1 9		+ 1 9		+ 1 5		+ 1 6		+ 1 7

6.	1 1	7.	1 1	8.	1 1	9.	1 1	10.	1 1
	1 4		1 5		1 4		1 5		1 4
	1 3		1 2		1 2		1 4		1 5
	+ 1 7		+ 1 8		+ 1 8		+ 1 6		+ 1 5

11.	1 1	12.	1 1	13.	1 1	14.	1 1	15.	1 1
	1 7		1 8		1 6		1 7		1 8
	1 4		1 1		1 2		1 5		1 3
	+ 1 6		+ 1 9		+ 1 8		+ 1 5		+ 1 7

16.	1 1	17.	1 1	18.	1 1	19.	1 1	20.	1 1
	1 8		1 7		1 6		1 7		1 8
	1 2		1 1		1 4		1 3		1 5
	+ 1 8		+ 1 9		+ 1 6		+ 1 7		+ 1 5

EXERCISE A7

1.　11
　　18
　　14
　+16
　――――

2.　11
　　16
　　11
　+19
　――――

3.　11
　　17
　　12
　+18
　――――

4.　11
　　16
　　15
　+15
　――――

5.　11
　　18
　　15
　+15
　――――

6.　12
　　13
　　11
　+19
　――――

7.　12
　　14
　　12
　+18
　――――

8.　12
　　12
　　11
　+19
　――――

9.　12
　　12
　　15
　+15
　――――

10.　12
　　13
　　15
　+15
　――――

11.　12
　　14
　　15
　+15
　――――

12.　12
　　13
　　12
　+18
　――――

13.　12
　　12
　　12
　+18
　――――

14.　12
　　13
　　13
　+17
　――――

15.　12
　　14
　　11
　+19
　――――

16.　12
　　12
　　13
　+17
　――――

17.　12
　　13
　　14
　+16
　――――

18.　12
　　12
　　14
　+16
　――――

19.　12
　　14
　　14
　+16
　――――

20.　12
　　14
　　13
　+17
　――――

EXERCISE A8

1.   1 2   2.   1 2   3.   1 2   4.   1 2   5.   1 2
    1 5   1 6   1 7   1 6   1 5
    1 3   1 9   1 4   1 4   1 2
  + 1 7   + 1 1   + 1 6   + 1 6   + 1 8

6.   1 2   7.   1 2   8.   1 2   9.   1 2   10.   1 2
    1 6   1 5   1 7   1 6   1 5
    1 2   1 1   1 5   1 5   1 4
  + 1 8   + 1 9   + 1 5   + 1 5   + 1 6

11.   1 2   12.   1 2   13.   1 2   14.   1 2   15.   1 2
    1 7   1 5   1 6   1 7   1 8
    1 1   1 5   1 3   1 3   1 2
  + 1 9   + 1 5   + 1 7   + 1 7   + 1 8

16.   1 2   17.   1 2   18.   1 2   19.   1 2   20.   1 2
    1 7   1 8   1 8   1 8   1 8
    1 2   1 4   1 1   1 3   1 5
  + 1 8   + 1 6   + 1 9   + 1 7   + 1 5

EXERCISE A9

1.
```
  1 2
  1 2
  1 3
+ 1 7
-----
```

2.
```
  1 3
  1 3
  1 4
+ 1 6
-----
```

3.
```
  1 3
  1 4
  1 1
+ 1 9
-----
```

4.
```
  1 3
  1 2
  1 1
+ 1 9
-----
```

5.
```
  1 3
  1 2
  1 4
+ 1 6
-----
```

6.
```
  1 3
  1 2
  1 5
+ 1 5
-----
```

7.
```
  1 3
  1 3
  1 2
+ 1 8
-----
```

8.
```
  1 3
  1 4
  1 2
+ 1 8
-----
```

9.
```
  1 3
  1 3
  1 1
+ 1 9
-----
```

10.
```
  1 3
  1 4
  1 5
+ 1 5
-----
```

11.
```
  1 3
  1 2
  1 2
+ 1 8
-----
```

12.
```
  1 3
  1 4
  1 5
+ 1 5
-----
```

13.
```
  1 3
  1 3
  1 5
+ 1 5
-----
```

14.
```
  1 3
  1 4
  1 3
+ 1 7
-----
```

15.
```
  1 3
  1 3
  1 3
+ 1 7
-----
```

16.
```
  1 3
  1 5
  1 1
+ 1 9
-----
```

17.
```
  1 3
  1 6
  1 2
+ 1 8
-----
```

18.
```
  1 3
  1 7
  1 5
+ 1 5
-----
```

19.
```
  1 3
  1 6
  1 3
+ 1 7
-----
```

20.
```
  1 3
  1 5
  1 4
+ 1 6
-----
```

EXERCISE A10

1.   13   2.   13   3.   13   4.   1.3   5.   13
     16   15   15   16   17
     14   12   15   15   11
  +16   +18   +15   +15   +19

6.   13   7.   13   8.   13   9.   13   10.   13
     16   15   17   18   17
     11   13   14   11   12
  +19   +17   +16   +19   +18

11.   13   12.   13   13.   13   14.   13   15.   15
     18   18   18   18   17
     12   15   14   13   12
  +18   +15   +16   +17   +18

16.   14   17.   15   18.   12   19.   14   20.   19
     18   14   15   15   12
     19   18   14   17   15
  +11   +12   +16   +13   +15

EXERCISE A11

1. 1 1
    1 2
    2 3
    + 2 7
    ———

2. 1 3
    1 5
    2 1
    + 2 9
    ———

3. 1 1
    1 3
    2 2
    + 2 8
    ———

4. 1 2
    1 2
    2 1
    + 2 9
    ———

5. 1 2
    1 4
    2 5
    + 2 5
    ———

6. 1 2
    1 5
    2 2
    + 2 8
    ———

7. 1 3
    1 3
    2 4
    + 2 6
    ———

8. 1 2
    1 2
    2 2
    + 2 8
    ———

9. 1 3
    1 5
    2 5
    + 2 5
    ———

10. 1 1
    1 6
    2 4
    + 2 6
    ———

11. 1 2
    1 3
    2 1
    + 2 9
    ———

12. 1 1
    1 2
    2 5
    + 2 5
    ———

13. 1 1
    1 5
    2 4
    + 2 6
    ———

14. 1 2
    1 5
    2 3
    + 2 7
    ———

15. 1 3
    1 6
    2 1
    + 2 9
    ———

16. 1 2
    1 6
    2 2
    + 2 8
    ———

17. 1 1
    1 4
    2 3
    + 2 7
    ———

18. 1 2
    1 3
    2 5
    + 2 5
    ———

19. 1 1
    1 2
    2 4
    + 2 6
    ———

20. 1 2
    1 2
    2 3
    + 2 7
    ———

EXERCISE A12

1.
14
15
25
+25

2.
11
17
22
+28

3.
13
15
21
+29

4.
11
25
22
+28

5.
11
15
25
+25

6.
12
16
24
+26

7.
14
15
23
+27

8.
13
14
23
+27

9.
13
16
24
+26

10.
14
15
22
+28

11.
11
18
21
+29

12.
12
15
25
+25

13.
11
15
23
+27

14.
11
16
21
+29

15.
11
17
24
+26

16.
11
12
23
+37

17.
12
24
34
+36

18.
11
27
31
+49

19.
12
26
31
+39

20.
15
12
21
+39

EXERCISE A13

1. 14
    12
    22
    +38
    ___

2. 12
    23
    35
    +35
    ___

3. 12
    12
    25
    +35
    ___

4. 11
    24
    33
    +37
    ___

5. 13
    12
    24
    +36
    ___

6. 13
    25
    32
    +38
    ___

7. 12
    26
    32
    +48
    ___

8. 13
    24
    34
    +46
    ___

9. 24
    25
    34
    +46
    ___

10. 22
    23
    31
    +49
    ___

11. 12
    23
    35
    +45
    ___

12. 23
    26
    33
    +47
    ___

13. 12
    24
    33
    +47
    ___

14. 22
    26
    35
    +45
    ___

15. 21
    27
    32
    +48
    ___

16. 11
    27
    25
    +65
    ___

17. 11
    22
    21
    +59
    ___

18. 14
    24
    22
    +68
    ___

19. 11
    22
    24
    +56
    ___

20. 13
    25
    23
    +57
    ___

EXERCISE A14

1.
```
   1 1
   2 2
   2 2
 + 5 8
 ─────
```

2.
```
   1 2
   2 4
   2 5
 + 5 5
 ─────
```

3.
```
   1 1
   2 8
   2 3
 + 6 7
 ─────
```

4.
```
   1 1
   2 3
   2 4
 + 6 6
 ─────
```

5.
```
   1 5
   2 3
   2 1
 + 5 9
 ─────
```

6.
```
   1 1
   2 4
   2 1
 + 7 9
 ─────
```

7.
```
   1 5
   2 4
   2 1
 + 8 9
 ─────
```

8.
```
   1 1
   2 4
   2 2
 + 7 8
 ─────
```

9.
```
   1 3
   2 1
   2 5
 + 7 5
 ─────
```

10.
```
   1 3
   2 5
   2 4
 + 8 6
 ─────
```

11.
```
   1 2
   2 3
   2 4
 + 7 6
 ─────
```

12.
```
   1 4
   2 1
   2 5
 + 8 5
 ─────
```

13.
```
   1 3
   2 5
   2 2
 + 8 8
 ─────
```

14.
```
   1 4
   2 5
   2 3
 + 7 7
 ─────
```

15.
```
   1 4
   2 4
   2 3
 + 8 7
 ─────
```

16.
```
   1 2
   5 5
   2 5
 + 7 5
 ─────
```

17.
```
   1 2
   3 4
   4 2
 + 5 8
 ─────
```

18.
```
   1 3
   2 5
   5 1
 + 4 9
 ─────
```

19.
```
   1 4
   3 3
   5 1
 + 4 9
 ─────
```

20.
```
   2 2
   3 3
   3 4
 + 6 6
 ─────
```

EXERCISE A15

1. 22
    27
    34
    +66
    ___

2. 22
    23
    25
    +75
    ___

3. 34
    41
    13
    +87
    ___

4. 22
    32
    13
    +87
    ___

5. 13
    45
    42
    +58
    ___

6. 42
    45
    42
    +58
    ___

7. 22
    44
    51
    +49
    ___

8. 12
    25
    34
    +66
    ___

9. 14
    35
    25
    +75
    ___

10. 22
    45
    13
    +87
    ___

11. 15
    34
    51
    +49
    ___

12. 42
    52
    42
    +58
    ___

13. 22
    43
    42
    +58
    ___

14. 24
    35
    25
    +75
    ___

15. 13
    24
    13
    +87
    ___

16. 31
    56
    13
    +87
    ___

17. 32
    38
    34
    +66
    ___

18. 14
    45
    42
    +58
    ___

19. 13
    45
    51
    +49
    ___

20. 42
    47
    34
    +66
    ___

EXERCISE A16

1. 21
    37
    34
    +66
    ─────

2. 12
    35
    25
    +75
    ─────

3. 26
    31
    13
    +87
    ─────

4. 44
    45
    51
    +49
    ─────

5. 24
    34
    25
    +75
    ─────

6. 37
    22
    13
    +87
    ─────

7. 43
    54
    51
    +49
    ─────

8. 14
    75
    51
    +49
    ─────

9. 42
    43
    34
    +66
    ─────

10. 41
    48
    13
    +87
    ─────

11. 42
    41
    25
    +75
    ─────

12. 32
    44
    42
    +58
    ─────

13. 37
    52
    13
    +87
    ─────

14. 14
    55
    42
    +58
    ─────

15. 64
    24
    34
    +66
    ─────

16. 44
    42
    25
    +75
    ─────

17. 36
    27
    21
    +79
    ─────

18. 14
    36
    23
    +77
    ─────

19. 21
    43
    22
    +78
    ─────

20. 43
    57
    18
    +82
    ─────

EXERCISE A17

1.
```
  1 2
  1 2
  1 2
  2 4
  2 3
+ 4 7
─────
```

2.
```
  1 1
  1 2
  1 3
  2 5
  3 5
+ 5 5
─────
```

3.
```
  1 1
  1 3
  1 4
  5 4
  2 4
+ 6 6
─────
```

4.
```
  1 2
  1 2
  2 4
  4 3
  3 2
+ 5 8
─────
```

5.
```
  1 1
  1 2
  1 3
  4 7
  1 1
+ 7 9
─────
```

6.
```
  1 1
  2 2
  1 2
  4 6
  2 3
+ 6 7
─────
```

7.
```
  1 1
  2 3
  1 4
  3 5
  6 5
+ 2 5
─────
```

8.
```
  1 2
  2 2
  2 4
  4 5
  1 4
+ 7 6
─────
```

9.
```
  1 3
  1 1
  2 4
  3 4
  4 2
+ 4 8
─────
```

10.
```
  2 1
  1 1
  3 4
  4 6
  5 1
+ 3 9
─────
```

11.
```
  2 2
  1 2
  3 2
  2 6
  3 3
+ 5 7
─────
```

12.
```
  1 3
  2 4
  2 4
  4 5
  7 5
+ 1 5
─────
```

13.
```
  1 2
  1 2
  2 4
  3 3
  4 4
+ 4 6
─────
```

14.
```
  1 3
  1 3
  2 5
  4 5
  5 2
+ 3 8
─────
```

15.
```
  1 3
  2 2
  1 5
  4 5
  1 1
+ 7 9
─────
```

EXERCISE A18

1. 16
    12
    32
    43
    43
    +47
    ___

2. 11
    23
    14
    26
    35
    +55
    ___

3. 11
    12
    13
    47
    24
    +66
    ___

4. 11
    12
    44
    36
    12
    +78
    ___

5. 11
    12
    13
    47
    11
    +79
    ___

6. 23
    15
    17
    23
    43
    +47
    ___

7. 11
    12
    11
    29
    55
    +35
    ___

8. 11
    12
    24
    36
    74
    +16
    ___

9. 11
    13
    28
    32
    62
    +28
    ___

10. 21
    11
    34
    46
    51
    +39
    ___

11. 21
    14
    51
    29
    22
    +68
    ___

12. 12
    13
    24
    46
    45
    +65
    ___

13. 11
    22
    45
    35
    43
    +27
    ___

14. 21
    14
    23
    37
    14
    +46
    ___

15. 12
    34
    42
    28
    11
    +79
    ___

EXERCISE A19

1.
```
   1 1 2
   1 3 4
   1 4 3
   1 2 3
   1 1 3
 + 1 8 7
 _____
```

2.
```
   1 1 2
   1 3 4
   1 2 3
   1 1 6
   1 2 5
 + 1 6 5
 _____
```

3.
```
   1 1 2
   1 3 3
   1 6 2
   1 2 8
   1 1 4
 + 1 7 6
 _____
```

4.
```
   1 1 1
   1 1 2
   1 2 1
   1 4 8
   1 3 2
 + 1 5 8
 _____
```

5.
```
   1 1 1
   1 3 4
   1 6 2
   1 4 8
   1 3 1
 + 1 5 9
 _____
```

6.
```
   1 1 3
   1 4 2
   1 3 5
   1 1 5
   1 2 3
 + 1 8 7
 _____
```

7.
```
   1 1 2
   1 1 2
   1 8 3
   1 1 7
   1 2 5
 + 1 7 5
 _____
```

8.
```
   1 6 4
   1 4 3
   1 1 4
   1 2 6
   1 1 4
 + 1 9 6
 _____
```

9.
```
   1 2 1
   1 2 2
   1 4 3
   1 3 4
   1 6 2
 + 1 2 8
 _____
```

10.
```
   1 1 2
   1 6 2
   1 4 3
   1 3 6
   1 4 1
 + 1 4 9
 _____
```

11.
```
   1 4 4
   1 3 2
   1 1 7
   1 6 3
   1 3 3
 + 1 5 7
 _____
```

12.
```
   1 8 1
   1 1 2
   1 4 6
   1 2 3
   1 2 5
 + 1 6 5
 _____
```

EXERCISE A20

1.
```
  114
  112
  123
  136
  144
+166
-----
```

2.
```
  112
  124
  124
  144
  162
+138
-----
```

3.
```
  144
  132
  143
  124
  121
+159
-----
```

4.
```
  113
  121
  143
  146
  133
+167
-----
```

5.
```
  112
  124
  153
  144
  135
+175
-----
```

6.
```
  112
  132
  142
  116
  124
+176
-----
```

7.
```
  112
  114
  133
  154
  162
+128
-----
```

8.
```
  121
  114
  124
  133
  131
+179
-----
```

9.
```
  114
  111
  134
  152
  143
+167
-----
```

10.
```
  121
  137
  115
  125
  174
+116
-----
```

11.
```
  121
  112
  143
  116
  134
+166
-----
```

12.
```
  111
  123
  124
  114
  132
+168
-----
```

EXERCISE A21

1.
```
   142
   114
   126
   224
   222
 +268
 ─────
```

2.
```
   112
   121
   143
   236
   215
 +275
 ─────
```

3.
```
   114
   141
   111
   228
   231
 +259
 ─────
```

4.
```
   113
   111
   124
   245
   236
 +254
 ─────
```

5.
```
   112
   114
   124
   234
   243
 +247
 ─────
```

6.
```
   112
   123
   135
   245
   224
 +366
 ─────
```

7.
```
   111
   111
   142
   237
   245
 +375
 ─────
```

8.
```
   112
   112
   123
   245
   235
 +357
 ─────
```

9.
```
   124
   111
   147
   243
   211
 +279
 ─────
```

10.
```
   115
   114
   154
   246
   268
 +222
 ─────
```

11.
```
   121
   112
   136
   264
   215
 +275
 ─────
```

12.
```
   111
   113
   117
   273
   246
 +244
 ─────
```

EXERCISE A22

1.	112	2	121	3.	122	4.	111
	115		124		112		224
	155		132		126		125
	255		278		284		165
	263		251		272		213
	+227		+239		+218		+277

5.	111	6.	212	7.	221	8.	211
	212		212		232		233
	122		143		281		146
	188		257		129		264
	265		144		152		171
	+225		+246		+338		+219

9.	113	10.	112	11.	112	12.	113
	224		211		322		241
	136		133		175		144
	254		277		235		266
	262		244		475		131
	+128		+246		+215		+359

EXERCISE A23

1.
```
   121
   214
   355
   153
   113
 +277
 ─────
```

2.
```
   114
   225
   175
   235
   371
 +119
 ─────
```

3.
```
   111
   111
   222
   448
   235
 +355
 ─────
```

4.
```
   113
   121
   142
   267
   463
 +327
 ─────
```

5.
```
   111
   323
   315
   293
   144
 +346
 ─────
```

6.
```
   141
   212
   131
   167
   252
 +438
 ─────
```

7.
```
   121
   212
   144
   146
   225
 +375
 ─────
```

8.
```
   123
   141
   134
   215
   443
 +357
 ─────
```

9.
```
   113
   324
   252
   158
   331
 +459
 ─────
```

10.
```
   114
   321
   114
   366
   445
 +385
 ─────
```

11.
```
   122
   112
   242
   258
   343
 +347
 ─────
```

12.
```
   148
   111
   243
   357
   162
 +228
 ─────
```

EXERCISE A24

1.
```
  124
  106
   84
+126
─────
```

2.
```
  240
  162
  102
+278
─────
```

3.
```
  216
   32
  156
+154
─────
```

4.
```
  324
  102
   43
+437
─────
```

5.
```
   24
  105
    8
+  16
─────
```

6.
```
  104
  216
  104
+   9
─────
```

7.
```
  106
  126
   74
+103
─────
```

8.
```
  206
  106
   89
+106
─────
```

9.
```
  104
  218
  108
+  32
─────
```

10.
```
   35
  126
   73
+206
─────
```

11.
```
  246
  106
   39
+101
─────
```

12.
```
  106
  236
   94
+126
─────
```

13.
```
  206
  104
   38
+216
─────
```

14.
```
  101
  216
   39
+  65
─────
```

15.
```
  126
  146
   59
+219
─────
```

16.
```
  218
  210
   11
+  89
─────
```

17.
```
  213
   11
  145
+165
─────
```

18.
```
  617
    9
  102
+  18
─────
```

19.
```
  165
    5
   14
+206
─────
```

20.
```
  104
    8
  127
+  79
─────
```

EXERCISE A25

1.   3 4 7
       3
   1 0 1
+   2 9
	2. 1 4 6
	       7
	    2 9
	+ 1 3 6
		3. 2 4 8
		    2 7
		   1 2 8
		+ 4 1
			4. 1 4 6
			    5 9
			   2 6 5
			+ 4 6

5.   3 7 8
    7 9
      8
+   1 2
	6. 2 4 6
	    8 9
	    3 6
	+ 1 0 2
		7. 1 2 4
		      9
		    6 1
		+ 1 3
			8. 2 7 8
			    6 4
			    7 2
			+ 1 0 6

9.   1 0 4
      6
      7
+   2 8
	10. 1 0 7
	      1
	    1 7
	+ 4
		11. 2 4 6
		    3 8
		   1 2 9
		+ 6
			12. 2 7 6
			    8 6
			   1 3 8
			+ 7

13.   1 2 4
    3 6
   2 4 6
+   3 6
	14. 2 4 6
	    3 9
	   1 0 1
	+ 3 7
		15. 4 6 1
		    7 8
		   2 1 6
		+ 3 9
			16. 1 8 7
			    6 9
			   2 7 3
			+ 1

17.   2 7 8
    7 9
   1 0 6
+   1 0
	18. 4 6 3
	    1 0
	   1 0 0
	+ 7 1
		19. 3 4 6
		    2 1
		   2 1 1
		+ 4 6
			20. 2 1 2
			    4 5
			    1 1
			+ 1 0 5

EXERCISE A26

1. 1214
    1121
    2366
    +2134
    _____

2. 1315
    1132
    1243
    +2167
    _____

3. 2424
    1313
    3134
    +2456
    _____

4. 1323
    1234
    2145
    +4365
    _____

5. 1133
    2714
    1222
    +2578
    _____

6. 1222
    1123
    2444
    +2356
    _____

7. 1143
    2234
    2411
    +2289
    _____

8. 1223
    1134
    2352
    +3458
    _____

9. 1244
    2224
    2135
    +1565
    _____

10. 2223
    1235
    2153
    +3647
    _____

11. 1233
    2234
    3344
    +4456
    _____

12. 3142
    1435
    2421
    +3479
    _____

EXERCISE A27

1. 1444
    1123
    2342
    +2358
    _____

2. 1213
    2124
    3255
    +2645
    _____

3. 3144
    1534
    2214
    +1296
    _____

4. 1123
    2334
    2424
    +2576
    _____

5. 2434
    1124
    2348
    +4629
    _____

6. 2226
    3245
    4135
    +3449
    _____

7. 1429
    2221
    1459
    +4753
    _____

8. 2346
    1454
    2363
    +4857
    _____

9. 2434
    2445
    1415
    +3696
    _____

10. 1124
    2265
    4347
    +1428
    _____

11. 3477
    1234
    2133
    +1488
    _____

12. 2324
    1356
    1359
    +3455
    _____

EXERCISE A28

1.
```
  4344
  1215
  2428
+ 1648
------
```

2.
```
  1316
  2343
  1237
+ 2448
------
```

3.
```
  2134
  1358
  2253
+ 3459
------
```

4.
```
  2485
  2547
  3323
+ 4787
------
```

5.
```
  2149
  2268
  4473
+ 5439
------
```

6.
```
  2275
  1959
  4629
+ 4479
------
```

7.
```
  2245
  4299
  5159
+ 5348
------
```

8.
```
  1264
  6183
  6319
+ 5479
------
```

9.
```
  2235
  2368
  1444
+ 6338
------
```

10.
```
  1269
  2334
  3943
+ 4487
------
```

11.
```
  1645
  2333
  1744
+ 5686
------
```

12.
```
  1469
  5831
  4288
+ 4748
------
```

EXERCISE A29

1.
```
  2346
  4127
  6632
+ 6388
```

2.
```
  3326
  1259
  3482
+ 3989
```

3.
```
  2128
  1245
  4615
+ 3395
```

4.
```
  4345
  3138
  3621
+ 3299
```

5.
```
  3468
  2474
  1146
+ 2726
```

6.
```
  2467
  1213
  3443
+ 4749
```

7.
```
  2264
  2226
  1414
+ 3138
```

8.
```
  1478
  3224
  1345
+ 4469
```

9.
```
  4849
  1261
  4132
+ 3478
```

10.
```
  3468
  2212
  1644
+ 4339
```

11.
```
  4845
  2145
  1425
+ 2375
```

12.
```
  7224
  1136
  1247
+ 1783
```

EXERCISE A30

1. 1642
    37
  726
+1345
———

2. 1647
    5
  102
+3007
———

3. 1642
  763
1026
+   37
———

4. 2842
  774
  634
+2768
———

5. 2765
  676
2737
+ 168
———

6. 4273
2164
    7
+ 26
———

7. 1276
  364
   74
+1216
———

8. 2637
  249
3163
+   7
———

9. 2176
  384
   76
+ 167
———

10. 2167
  378
  168
+2765
———

11. 3165
  376
1278
+ 78
———

12. 4165
  317
2659
+ 69
———

EXERCISE A31

1. 2165
     765
    1278
    + 10
    _____

2. 4164
     374
      39
    + 100
    _____

3. 2161
     378
    1242
    +   97
    _____

4. 3165
     379
     127
    +   38
    _____

5. 3168
      74
     389
    +   9
    _____

6. 4138
     374
    1006
    +   37
    _____

7. 5127
     467
       8
    +   43
    _____

8. 3718
      27
     138
    +   38
    _____

9. 4187
     136
      54
    +   9
    _____

10. 5167
      186
       74
    +   19
    _____

11. 4276
      387
     1386
    +   37
    _____

12. 4168
      137
     1276
    +   1
    _____

EXERCISE A32

1.   5167
     278
      47
 + 138
_____

2.   4186
     137
     278
 + 165
_____

3.   5167
     378
     127
 +1336
_____

4.   3165
     387
  1448
 +   49
_____

5.   3165
     115
     275
 + 110
_____

6.   4163
     316
  1218
 +   17
_____

7.   3165
     126
  1367
 +   84
_____

8.   3118
       9
      19
 + 249
_____

9.   2309
      15
     266
 +   2
_____

10.   4176
       9
     125
 +   18
_____

11.   3359
       1
     102
 +   17
_____

12.   4007
      15
     206
 +   37
_____

EXERCISE A33

1. 1191
      83
     504
    +   6
    _____

2.   6
        103
       2914
    +   17
    _____

3.   15
        213
       1167
     +4905
    _____

4.   302
      1096
        84
    + 723
    _____

5.   4
       1467
          3
    +   109
    _____

6.   269
       6260
         17
     + 199
    _____

7.   679
          2
       1001
     + 796
    _____

8.   2006
        700
          8
     + 374
    _____

9.   6001
        219
         67
     +1009
    _____

10.   264
       3179
         60
     + 117
    _____

11.   2101
         17
         62
     + 107
    _____

12.   7176
         81
          7
     +   94
    _____

EXERCISE A34

1. 613 + 716 + 419 =

2. 426 + 176 + 132 =

3. 416 + 216 + 137 =

4. 576 + 126 + 316 =

5. 474 + 217 + 374 =

6. 164 + 318 + 139 =

7. 480 + 176 + 310 =

8. 146 + 137 + 881 =

9. 610 + 10 + 261 =

10. 413 + 5 + 16 =

11. 418 + 50 + 7 =

12. 527 + 16 + 8 =

13. 638 + 74 + 17 =

14. 764 + 17 + 74 =

15. 716 + 87 + 3 =

16. 216 + 17 + 9 =

EXERCISE A35

1. 724 + 1679 + 3 =

2. 8175 + 801 + 10 =

3. 6193 + 74 + 127 =

4. 1271 + 6 + 13 =

5. 819 + 25 + 44 =

6. 318 + 1317 + 35 =

7. 419 + 16 + 42 =

8. 6136 + 7 + 132 =

9. 1218 + 327 + 4 =

10. 4125 + 1128 + 3 =

11. 718 + 1999 + 4 =

12. 3101 + 78 + 9 =

13. 3187 + 175 + 19 =

14. 1655 + 78 + 18 =

15. 1378 + 216 + 91 =

16. 3164 + 367 + 108 =

EXERCISE A36

1.   1274 +   3 +   601 + 1005 =

2.   2102 +   16 + 7001 +   4 =

3.   707 +   8 + 9201 +   14 =

4.   7001 +   3 + 6161 +   47 =

5.   1806 +   4 + 1006 +   87 =

6.   2016 +   101 + 3136 +   11 =

7.   4163 +   701 +   376 +   74 =

8.   716 +   58 +   36 + 1169 =

9.   617 +   67 + 3151 +   70 =

10. 1004 +   10 +   207 + 1999 =

11. 2001 +   176 +   406 +   127 =

12. 3005 + 3050 +   5 +   25 =

13. 7000 +   801 +   7 +   708 =

14. 6441 + 6001 +   10 +   14 =

15. 1660 + 5731 +   6 +   60 =

16. 3746 + 1900 +   900 +   9 =

EXERCISE A37

1.   700 +   600 +   70 +   7 =

2. 8009 +   764 +   105 +   10 =

3. 1001 + 7010 +   701 +   11 =

4. 1601 + 6010 +   61 +   60 =

5. 1808 +   801 + 3708 +   8 =

6. 4001 +   14 + 1004 +   41 =

7. 8009 +   89 + 9008 +   98 =

8. 2108 +   821 + 8102 +   1 =

9. 6003 +   36 +   306 +   63 =

10. 9003 +   309 +   93 +   39 =

11. 8008 +   880 +   808 +   80 =

12. 4007 +   740 +   74 +   7 =

13. 1002 + 2001 +   21 + 102 =

14. 7005 + 5007 +   75 + 507 =

15. 931 + 1039 +   931 +   36 =

16. 1009 +   901 +   19 + 391 =

EXERCISE A38

1.   20 + 105 + 1117 + 6 =

2.   903 + 27 + 805 + 19 =

3.   3164 + 5 + 72 + 214 =

4.   12 + 2075 + 16 + 88 =

5.   53 + 126 + 1009 + 7 =

6.   1 + 1596 + 37 + 402 =

7.   371 + 9 + 28 + 4119 =

8.   5176 + 84 + 119 + 3 =

9.   82 + 1097 + 6 + 531 =

10.   118 + 29 + 8 + 4467 =

11.   725 + 10 + 2003 + 6 =

12.   65 + 1298 + 339 + 4 =

13.   400 + 3006 + 20 + 1 =

14.   5598 + 10 + 2 + 639 =

15.   4 + 529 + 1188 + 12 =

16.   134 + 2 + 22 + 2234 =

EXERCISE A39

How many are:—

1. One plus five.

2. Seven plus four.

3. Nine plus three.

4. Nine plus two.

5. Twelve plus three.

6. Eleven plus six.

7. Ten plus four.

Add together:—

8. Two, three and one.

9. Twelve p. and 5p.

10. Six metres and 1 metre.

11. Ten pounds and five pounds.

12. Eight, seven and six.

13. Four, four and three.

14. Eleven, eight and one.

EXERCISE A40

Add together:—

1. 4 pence and 3 pence.

2. 6 eggs and 5 eggs.

3. 5 books and 2 books.

4. 7 pens and 3 pens.

5. 1 cat and 8 cats.

6. 6 pencils and 4 pencils.

7. 9 pens and 1 pen.

8. 5 apples and 3 apples.

9. 2 boxes and 4 boxes.

10. 3 shoes and 1 shoe.

11. 4 beds and 7 beds.

12. 9 boys and 3 boys.

13. 6 girls and 5 girls.

14. 7 men and 4 men.

15. 3 houses and 6 houses.

EXERCISE A41

Add together:—

1.   1 apple, 3 apples and 7 apples.

2.   5 cats, 5 cats and 2 cats.

3.   3 books, 4 books and 6 books.

4.   5 boys, 8 boys and 2 boys.

5.   9 cars, 1 car and 3 cars.

6.   6 pencils, 3 pencils and 1 pencil.

7.   4 tables, 5 tables, and 1 table.

8.   2 pens, 3 pens and 5 pens.

9.   6 eggs, 4 eggs and 0 eggs.

10.   3 girls, 0 girls and 7 girls.

11.   8 chairs, 1 chair and 6 chairs.

12.   9 tins, 3 tins and 2 tins.

13.   5 tables, 0 tables and 4 tables.

14.   8 pounds, 5 pounds and 6 pounds.

15.   1 box, 0 boxes and 8 boxes.

EXERCISE A42

Add together:—

1.   2 coins, 6 coins, 3 coins and 1 coin.

2.   1 dog, 7 dogs, 5 dogs and 0 dogs.

3.   6 pins, 8 pins, 5 pins and 2 pins.

4.   8 books, 7 books, 3 books and 2 books.

5.   5 hats, 2 hats, 4 hats and 3 hats.

6.   9 pears, 4 pears, 5 pears and 0 pears.

7.   7 nuts, 8 nuts, 2 nuts and 1 nut.

8.   6 cups, 5 cups, 4 cups and 2 cups.

9.   7 tins, 6 tins, 1 tin and 4 tins.

10.   8 cakes, 10 cakes, 6 cakes and 3 cakes.

11.   5 boys, 2 boys, 11 boys and 8 boys.

12.   2 men, 6 men, 9 men and 4 men.

13.   6 books, 4 books, 8 books and 0 books.

14.   7 pies, 4 pies, 2 pies and 3 pies.

15.   4 girls, 3 girls, 6 girls and 5 girls.

EXERCISE A43

1. Add together 4 days, 9 days and 1 day. Do you know how many weeks that makes?

2. Add together 6 months, 4 months and 5 months. How many months is that?

3. Six metres, plus 9 metres, plus 4 metres. How long is that?

4. 3 grammes, plus 7 grammes, plus 10 grammes. What weight is that?

5. For my birthday I was given five pounds, ten pounds and six pounds. How much did I receive?

EXERCISE A44

1. Mary has 3 cakes, Joan has 4 cakes and Bill has 2 cakes. How many cakes are there altogether?

2. I have 10p. My sister has 10p. How much have we altogether?

3. My brother saved 5p. I saved 7p and my twin sister saved 10p. Did we have enough to buy a packet of sweets which cost 20p?

4. My age is 11, my sister is 8 and my brother is 5. How many birthdays have we had between us?

5. My friend has twelve coloured pencils. I have six coloured pencils and my sister has three. How many coloured pencils have we altogether?

EXERCISE A45

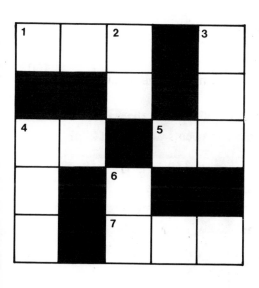

ACROSS

1. **80 + 30 + 16**
4. **15 + 40 + 17**
5. **17 + 5 + 13**
7. **400 + 250 + 286**

DOWN

2. **29 + 35**
3. **180 + 65 + 200**
4. **100 + 370 + 230**
6. **2 + 13 + 24**

EXERCISE A46

ACROSS

1. **10 + 12 =**
2. **9 + 4 =**
5. **30 + 17 =**
7. **14 + 14 =**

DOWN

1. **15 + 14 =**
3. **20 + 10 =**
4. **8 + 6 =**
6. **7 + 11 =**

EXERCISE A47

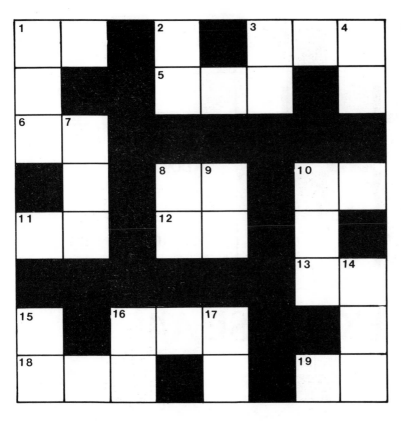

ACROSS

1. 20 + 17
3. 100 + 14
5. 90 + 47
6. 40 + 12
8. 30 + 14
10. 14 + 10
11. 50 + 20
12. 20 + 24
13. 50 + 12
16. 700 + 5
18. 80 + 64
19. 30 + 20

DOWN

1. 200 + 115
2. 15 + 6
3. 9 + 8
4. 30 + 15
7. 100 + 100
8. 40 + 4
9. 22 + 22
10. 116 + 110
14. 100 + 160
15. 8 + 3
16. 50 + 24
17. 6 + 60

EXERCISE A48

ACROSS

1. **100 + 12**
3. **30 + 7**
5. **20 + 6**
6. **12 + 5**
8. **40 + 3**
11. **40 + 42**
12. **9 + 6**
13. **5 + 10**
14. **10 + 10**
15. **18 + 10**
16. **12 + 13**
19. **18 + 9**
21. **8 + 3**
23. **20 + 14**
24. **3 + 50**
25. **300 + 100**

DOWN

1. **8 + 8**
2. **20 + 1**
4. **40 + 34**
5. **2 + 18**
7. **8 + 70**
9. **350 + 5**
10. **18 + 7**
12. **5 + 5**
13. **12 + 6**
14. **200 + 2**
15. **18 + 4**
17. **40 + 11**
18. **7 + 7**
20. **70 + 5**
22. **8 + 6**
23. **20 + 10**

NOTES

NOTES

NOTES